Le grand livre des tout-petits

Texte français d'Ann Lamontagne

Éditions
SCHOLASTIC

Voici la table des matières

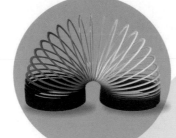

un xylophone   un ressort

des livres   un tambour

Catalogage avant publication de Bibliothèque et Archives Canada

Picthall, Chez
Le grand livre des tout-petits / Chez Picthall ;
texte français d'Ann Lamontagne.

Traduction de: The toddler's big book of everything.

ISBN 978-1-4431-0932-1

1. Reconnaissance des mots--Ouvrages pour la jeunesse.
2. Vocabulaire--Ouvrages pour la jeunesse. I. Lamontagne, Ann
II. Titre.

PC2445.P487 2011   j448.1   C2011-900338-4

Édition publiée par les Éditions Scholastic,
604, rue King Ouest, Toronto (Ontario) M5V 1E1

Créé et produit par Picthall & Gunzi Limited
21A Widmore Road, Bromley BR1 1RW, Royaume-Uni

Conception graphique : Gill Shaw
Conception graphique de la couverture : Paul Calver

Références photographiques : AGCO Audio Visual Department; Airbus SAS; Alstom; Argos; Baja Marine Corporation; Bathstore; Bruce Coleman; Chez Picthall; Chinook Helicopters; Corbis; Crimson Fire; ESA; F.Belley; FLPA; Forest Garden; Gerard Donnelly; Image Bank; John Lewis; Kawasaki Motors UK; Lakeland; Little Tikes; Liz Meek; Mader International Pty Ltd; Mercedes-Benz UK Ltd; Minden Pictures; NATEX; Oxford Scientific Films; Pictor; Photo Library; Photodisc; Raleigh UK; Robert Harding; Stone; Sun-togs; Vtech; Volvo Truck Corporation; Tyler Shaw; Warren Photographic

Sachez que nous avons déployé tous les efforts possibles pour nous assurer de l'exactitude des renseignements contenus dans le présent livre, et pour mentionner correctement les détenteurs du droit d'auteur. La maison d'édition Picthall & Gunzi s'excuse de toutes erreurs ou omissions involontaires et serait heureuse d'apporter les rectificatifs au contenu ou aux remerciements dans les éditions futures.

Édition publiée par les Éditions Scholastic, 604, rue King Ouest, Toronto (Ontario) M5V 1E1

5 4 3 2 1   Imprimé en Chine CP134   11 12 13 14 15

un pompier   une reine   un roi

Combien d'enfants peux-tu compter?

un tricycle

une balançoire

des nombres

des craies

de la peinture

un chevalet

un pirate

une fée

une infirmière

un magicien

une sorcière

Apprenons l'alphabet

a b c d

i j k l

des girafes

un tigre

Trouve un animal à fourrure dont le nom commence par la lettre k.

o p

u v w

des éléphants

un panda

un pingouin

un koala

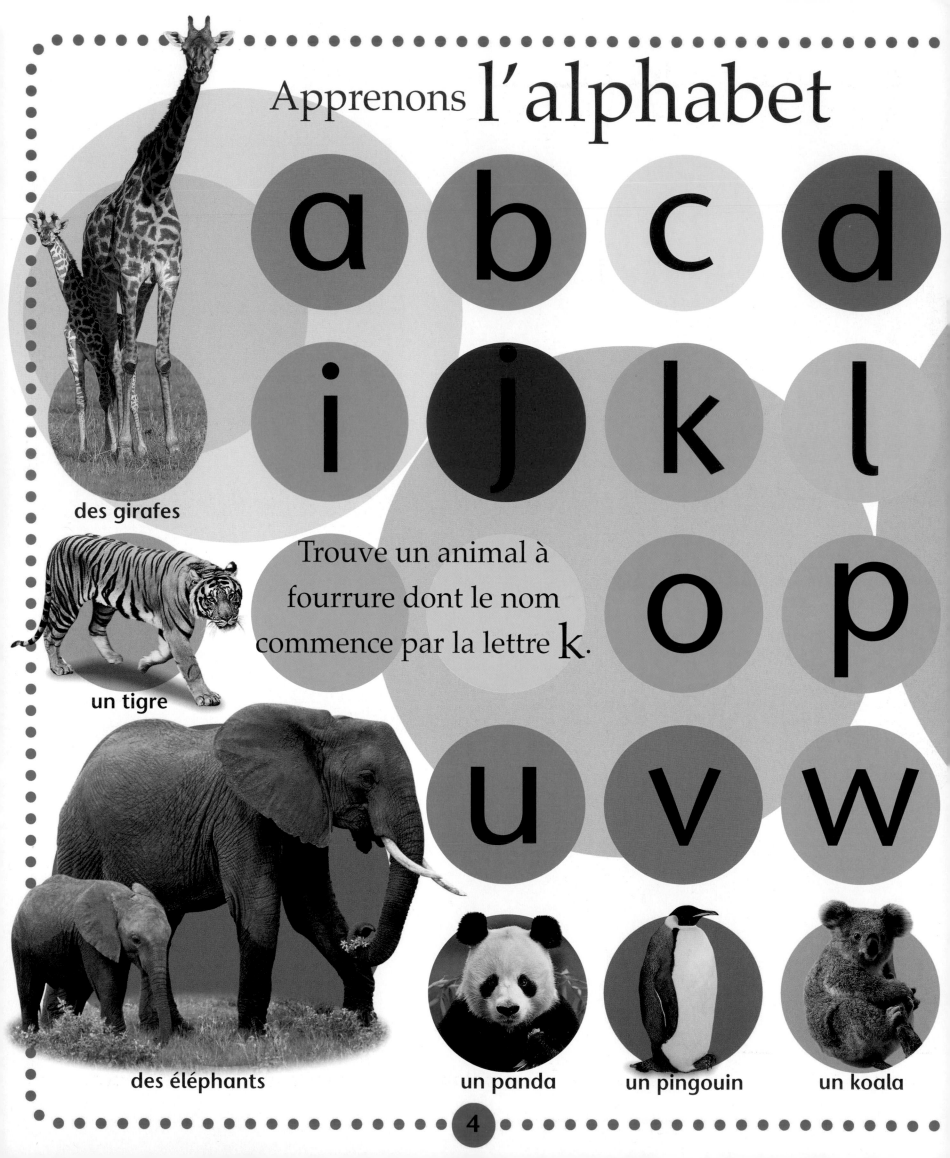

e f g h

un aigle

m n

Trouve un grand animal dont le nom commence par la lettre g.

des dauphins

q r s t

des lions

x y z

Récite l'alphabet.

un poisson-ange

un papillon   une grenouille   un ours polaire   un caméléon   des zèbres

Comptons!

1
un gâteau

2
deux souliers

3
trois masques

4
quatre balles

5
cinq fraises

6
six petits gâteaux

7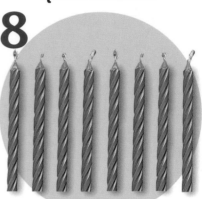
sept poissons

8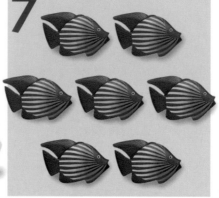
huit bougies

9
neuf pièces

10
dix vaches

11
onze coquillages

12
douze boutons

13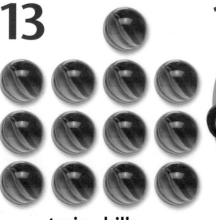
treize billes

14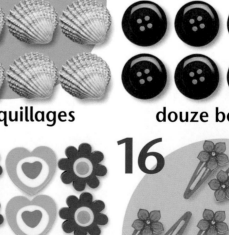
quatorze cerises

15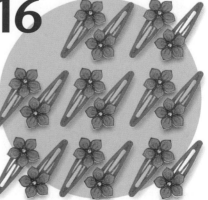
quinze gommes à effacer

16
seize barrettes

Combien y a-t-il de petits gâteaux?

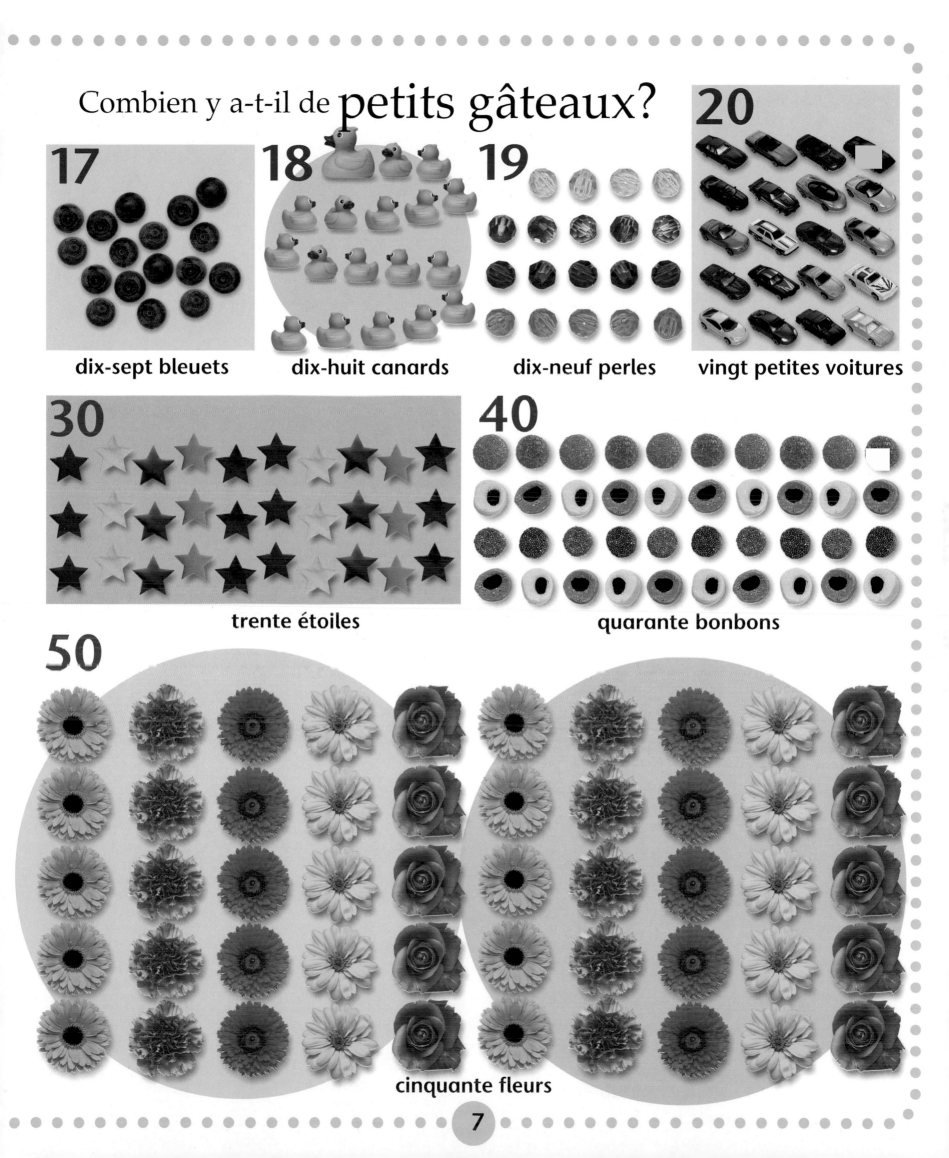

17 dix-sept bleuets

18 dix-huit canards

19 dix-neuf perles

20 vingt petites voitures

30 trente étoiles

40 quarante bonbons

50 cinquante fleurs

Regardons les couleurs

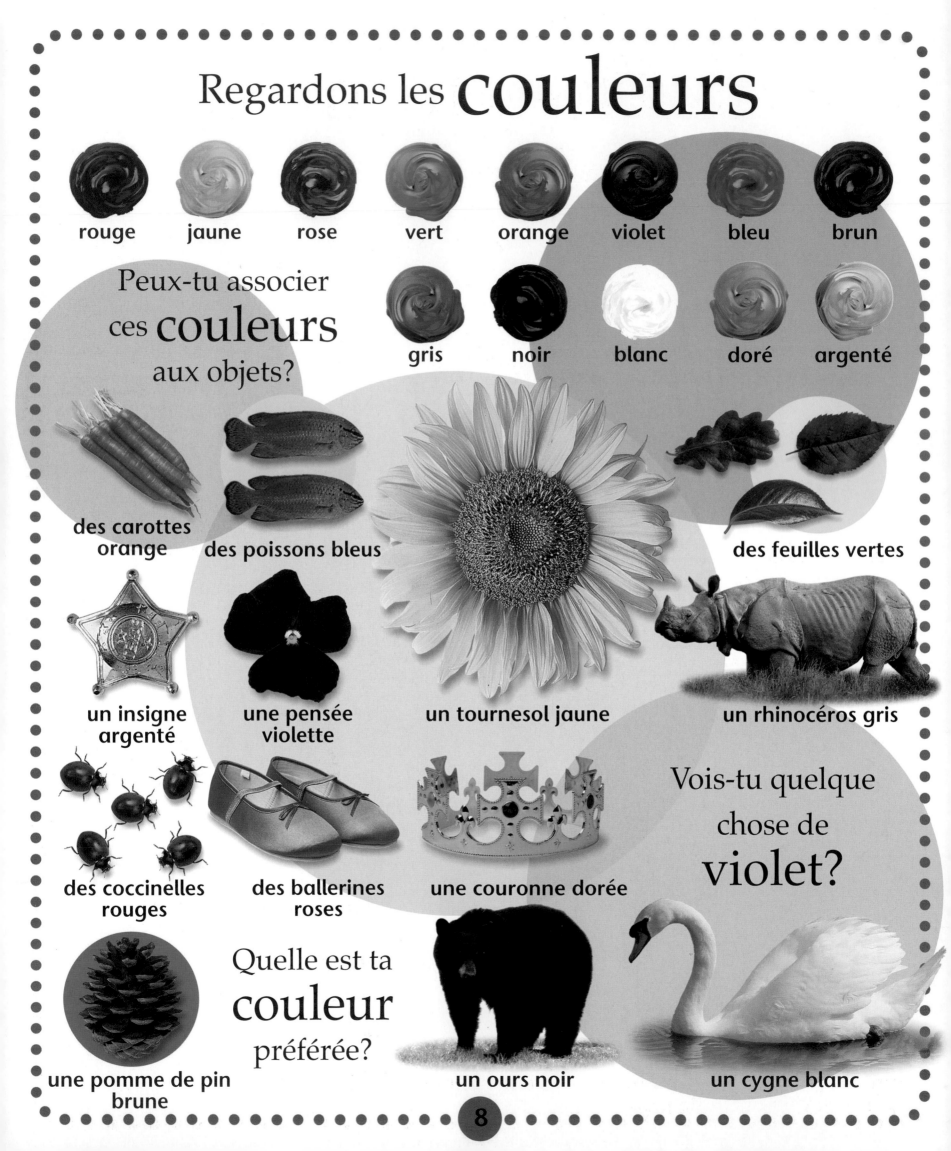

rouge   jaune   rose   vert   orange   violet   bleu   brun

gris   noir   blanc   doré   argenté

Peux-tu associer ces **couleurs** aux objets?

des carottes orange

des poissons bleus

des feuilles vertes

un insigne argenté

une pensée violette

un tournesol jaune

un rhinocéros gris

des coccinelles rouges

des ballerines roses

une couronne dorée

Vois-tu quelque chose de **violet?**

Quelle est ta **couleur** préférée?

une pomme de pin brune

un ours noir

un cygne blanc

Regardons les formes

un cercle   un triangle   un carré   un rectangle   un cœur   un losange   un ovale   une étoile

un cube   une sphère   une pyramide   un cône   un cylindre

Trouve un objet
en forme **d'étoile.**

une enveloppe   une décoration de Noël   des drapeaux

des carrés de chocolat   un yoyo   un cerf-volant   un taille-crayon   un cadre

Trouve les **formes** qui vont avec ces objets.

un chapeau de fête   un ballon de plage   une bougie   un casse-tête   un gobelet

9

Regardons les grandeurs

Peux-tu trouver le train **long** et le train **court**?

un petit papillon   un grand papillon

une tour haute   une tour basse

un pinceau large

un pinceau étroit

un train long   un train court

Quel est le plus **gros** ballon?

petit   plus petit   le plus petit

gros   plus gros   le plus gros

Regardons les contraires

Où est le bâtonnet glacé?

une tasse pleine

une tasse vide

un lapin moelleux

un dinosaure rigide

un vieil ourson

un ourson neuf

un parapluie ouvert

Où sont les bottes sales?

une boisson chaude

un bâtonnet glacé

un parapluie fermé

dans la boîte

hors de la boîte

un ballon léger

un panier pesant

des bottes propres

des bottes sales

Notre corps

les cheveux

le visage

la lèvre

le front

les sourcils

des yeux bruns

des yeux bleus

une oreille

des cils

Vois-tu des dents?

la joue

le nez

Trouve un enfant aux yeux **bruns.**

le cou

le menton

la bouche

les dents

la langue

des cheveux raides

des cheveux bouclés

des cheveux blonds

des cheveux noirs

des cheveux longs

Où est ton **ventre?**

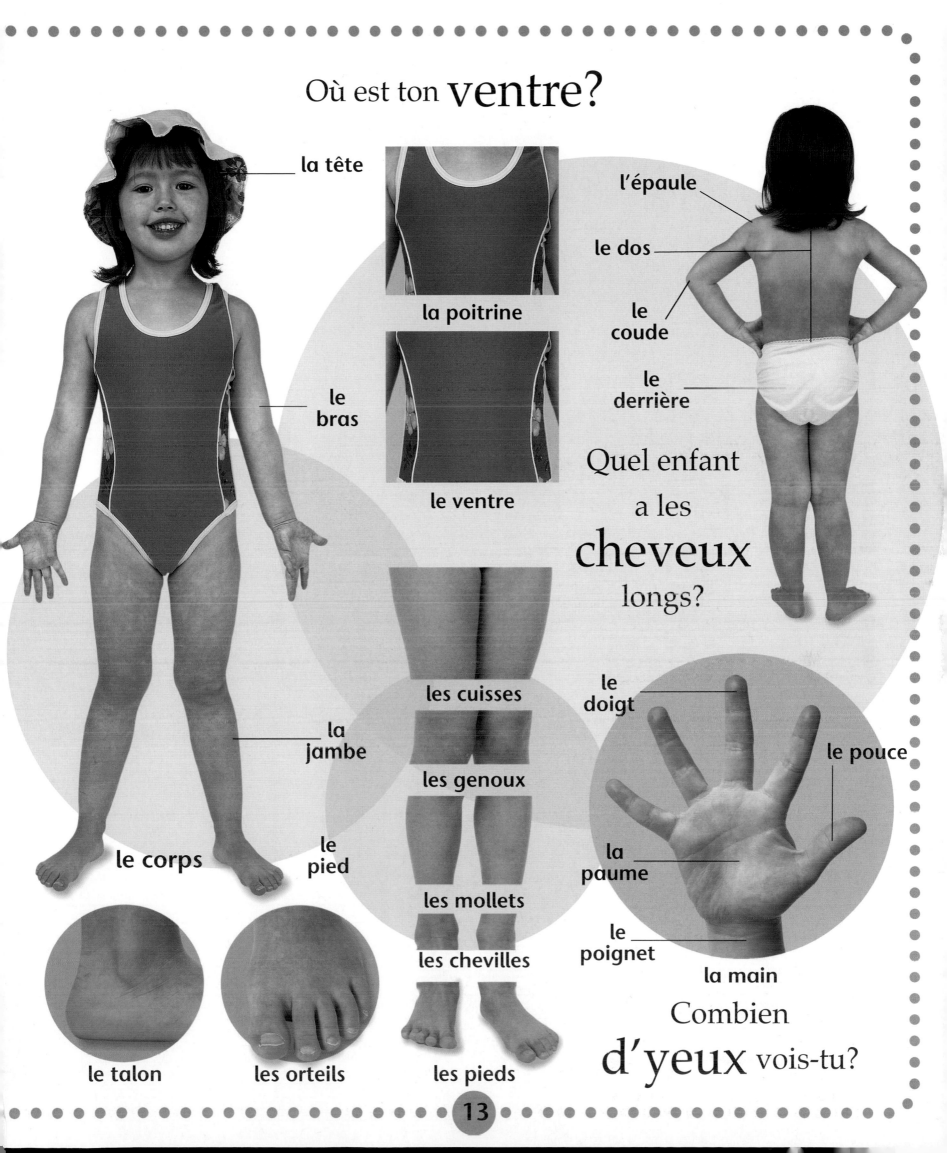

la tête

la poitrine

le ventre

le bras

l'épaule

le dos

le coude

le derrière

Quel enfant a les **cheveux** longs?

les cuisses

le doigt

la jambe

les genoux

le pouce

le pied

la paume

le corps

les mollets

le poignet

les chevilles

la main

le talon

les orteils

les pieds

Combien **d'yeux** vois-tu?

Regardons les vêtements

une dormeuse

une bavette

une casquette

un chapeau

des mitaines

un chandail

un imperméable

un tee-shirt

une camisole

une écharpe

une chemise

une salopette

un caleçon

un jean

un short

Vois-tu l'écharpe?

Trouve l'imperméable.

des bottines

des chaussettes

des sandales

Quels vêtements portes-tu aujourd'hui?

Trouve un vêtement **à pois.**

un cardigan

des gants

une veste à capuchon

une ceinture

une robe

une jupe

un manteau

un pantalon

des souliers

des petites culottes

des bottes en caoutchouc

à pois

à rayures

à fleurs

à carreaux

des collants

À la maison

Montre la **porte d'entrée.**

la cheminée

le toit

la maison

des maisons en rangée

un balcon

la fenêtre

le garage

la porte de garage

des appartements

le jardin

les marches

la porte d'entrée

Où est le **grille-pain?**

un fer à repasser

une bouilloire

des casseroles

une planche à repasser

un grille-pain

une cuisinière

une machine à laver

un four à micro-ondes

un réfrigérateur-congélateur

Qu'est-ce qu'il y a dans ta maison?

un vase de fleurs

une table

un coussin

un aspirateur

une étagère

une commode

une armoire

un tapis

une chaise

Quelle est la couleur du canapé?

des clés

une chaîne stéréo

un sofa

un fauteuil

un ordinateur

des CD et des DVD

une radio

un téléphone

un téléviseur

une tasse

un bol

un couteau

une fourchette

une cuillère

un gobelet

des assiettes

Les aliments et les boissons

un sandwich coupé en 2

des fèves au lard

du fromage

des céréales

une pomme de terre au four

Où est la tranche de pizza?

un bagel

des pâtes

des biscuits

une tarte aux pommes

un croissant

une rôtie au fromage

une quiche

des légumes sautés

de la pizza

un déjeuner complet

Où est le bol de pâtes?

du lait

de la farine

du sucre

du beurre

des œufs

Quels sont tes aliments préférés?

du lait frappé

du poulet

du riz aux légumes

de la salade

Trouve le pot de yogourt.

du pain

du maïs soufflé

un sandwich roulé

un hamburger

des saucisses

des frites

Où est le frappé aux fruits?

des nouilles

des muffins

un frappé aux fruits

un yogourt

un petit gâteau

de la crème glacée

des gaufres

une salade de fruits

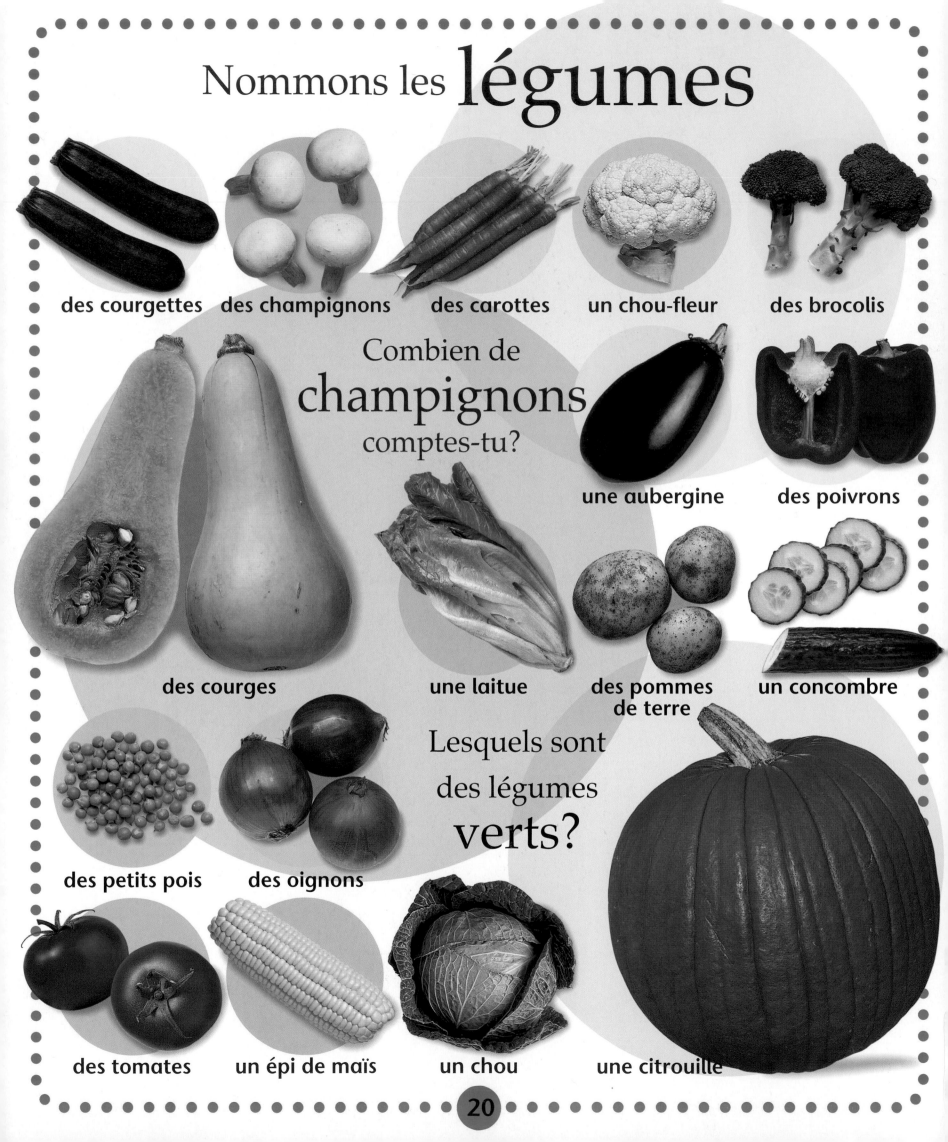

Nommons les légumes

des courgettes   des champignons   des carottes   un chou-fleur   des brocolis

Combien de **champignons** comptes-tu?

une aubergine   des poivrons

des courges   une laitue   des pommes de terre   un concombre

Lesquels sont des légumes **verts?**

des petits pois   des oignons

des tomates   un épi de maïs   un chou   une citrouille

Mangeons des fruits

des raisins

des pêches

des kiwis

une orange

des citrons

des mangues

des fraises

Montre tous les **fruits** rouges.

Trouve la grappe de **raisin**.

des poires

des cerises

des pommes

des bananes

des framboises

une lime

des bleuets

un ananas

des pamplemousses

des prunes

des melons

21

Les activités de la journée

laver le linge

des pinces à linge

une balayette
et une pelle
à poussière

Où est la balayette?

des cuillères
en bois

un fouet

balayer

faire l'épicerie

cuisiner

des emporte-pièces

un bol à mélanger

Trouve le moule à muffins.

un rouleau à pâtisserie

cuisiner avec grand-maman

un tamis

un gâteau

un tablier

un moule à muffins

des mitaines

Qu'aimes-tu **faire** à la maison?

un marteau

un tournevis

des clés

un mètre à ruban

une perceuse électrique

une scie

une boîte à outils

aider papa

Que plantes-tu dans le **jardin?**

des graines

des bulbes

des gants de jardinage

jardiner avec maman

une remise

une fourche et un transplantoir

une pelle

un râteau

une fleur

une tondeuse

un arrosoir

une brouette

des pots de fleurs

C'est l'heure du jeu!

Où est le **tambour?**

un camion en bois

une corde à sauter

un jeu modulaire

un bâton et une balle

un ressort

de la pâte à modeler

un xylophone

une poupée

des livres

un tambour

un tambourin

un astronaute

une sirène

un pompier

une reine

un roi

24

Combien y a-t-il de marqueurs?

un cartable

des chiffres

du papier

Compte les enfants.

une balançoire

Où est le garçon habillé en pirate?

des cartes

de la peinture

des craies

des marqueurs

une trottinette

un tableau blanc

un tricycle

des lettres

un chevalet

un pirate

une fée

une infirmière

un magicien

une sorcière

C'est l'heure du bain!

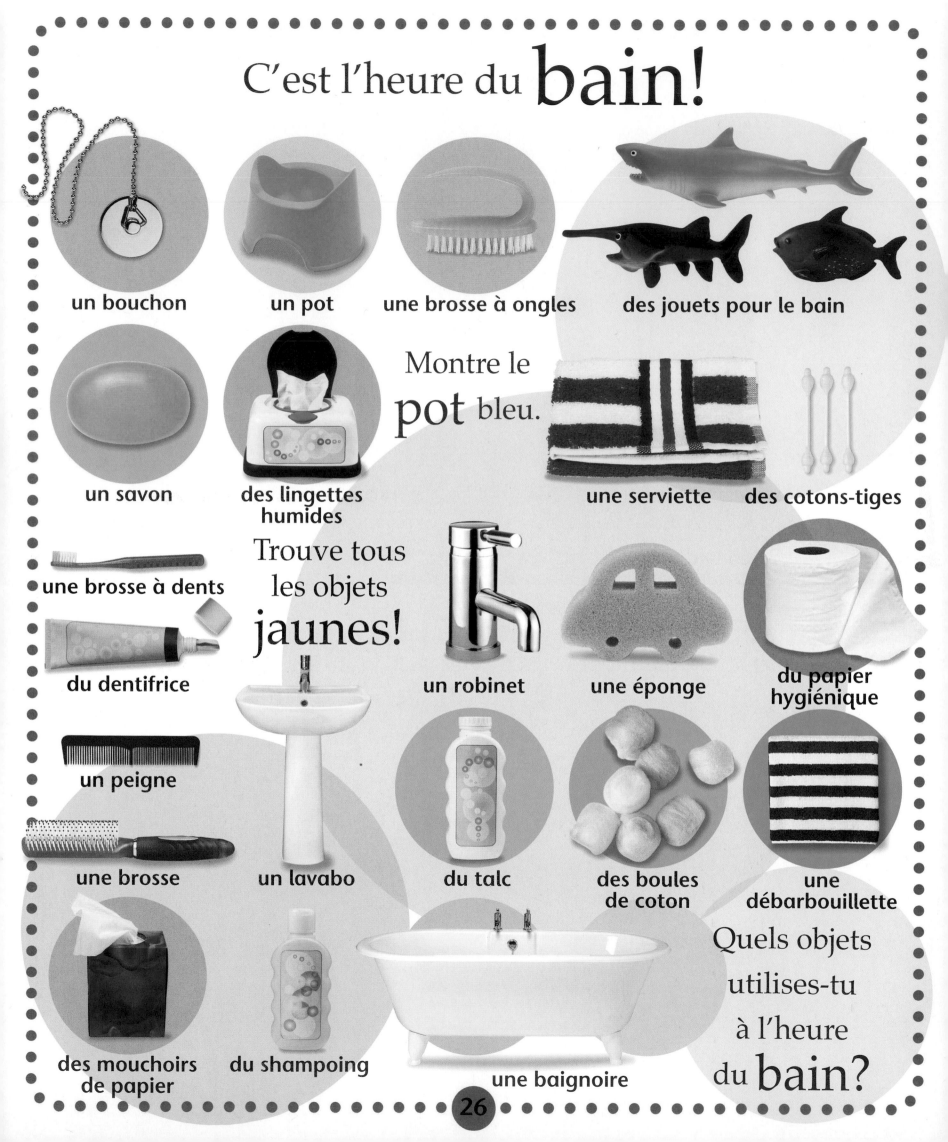

un bouchon

un pot

une brosse à ongles

des jouets pour le bain

un savon

des lingettes humides

Montre le **pot** bleu.

une serviette

des cotons-tiges

une brosse à dents

du dentifrice

Trouve tous les objets **jaunes!**

un robinet

une éponge

du papier hygiénique

un peigne

une brosse

un lavabo

du talc

des boules de coton

une débarbouillette

des mouchoirs de papier

du shampoing

une baignoire

Quels objets utilises-tu à l'heure du **bain?**

26

C'est l'heure du dodo!

un mobile

une lune

des étoiles fluorescentes

un lit d'enfant

Où est la courtepointe?

une lampe

un livre d'images

des pantoufles

une robe de chambre

une bouillotte

des couvertures

un gobelet

une courtepointe

Combien d'ours en peluche vois-tu?

un oreiller

un lit

un pyjama

un ours en peluche

En route!

une montgolfière

un dirigeable

un hélicoptère

une navette spatiale

un avion

une voiture

une voiture de police

une voiture de course

Où est le gros **camion d'incendie** rouge?

un autobus scolaire

un train

un tramway

un camion

une motocyclette

un hors-bord

des bicyclettes

Combien de **voitures** vois-tu?

des voiliers

un navire

un camion d'incendie

un transporteur

une ambulance

28

À la plage

une mouette

une étoile de mer

un chapeau de soleil

de la crème solaire

un seau et une pelle

des brassards gonflables

de la crème glacée

des lunettes de soleil

Qu'aimes-tu faire à la plage?

des cailloux

des vagues

un crabe

un appareil photo

des algues marines

Peux-tu compter les coquillages?

un maillot de bain

des coquillages

des sandales en plastique

un short de bain

des pâtés de sable

une tente de plage

À la ferme

un chien de berger
et des chiots

un mouton et
un agneau

une chèvre
et un chevreau

des canards
et des canetons

Combien de
poussins
vois-tu?

une
moissonneuse-
batteuse

un coq

une oie
et un oison

un champ

un porc et des
porcelets

un cheval
et un poulain

une écurie

une vache
et un veau

un taureau

une poule et des poussins

un tracteur

un verger

une balle de paille

une ferme

Nos animaux préférés

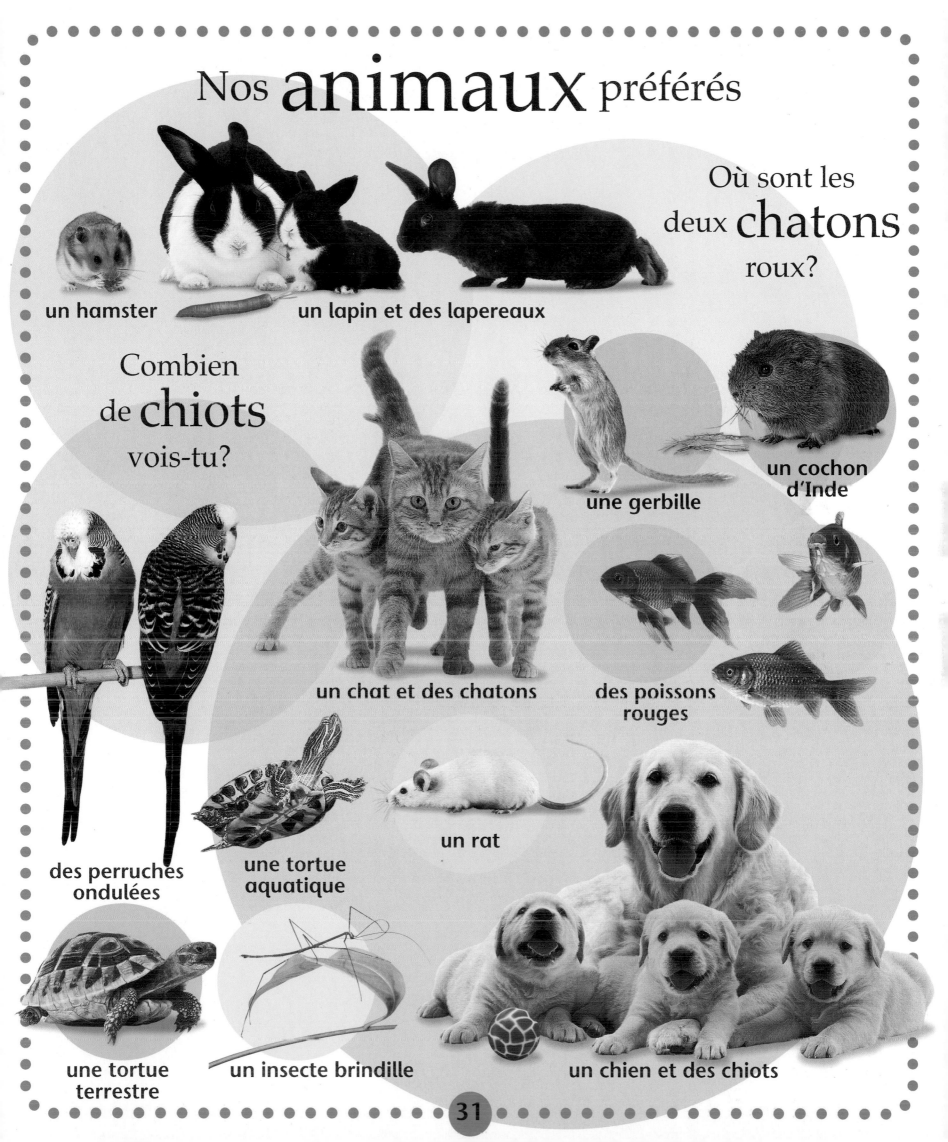

un hamster

un lapin et des lapereaux

Où sont les deux **chatons** roux?

Combien de **chiots** vois-tu?

une gerbille

un cochon d'Inde

un chat et des chatons

des poissons rouges

des perruches ondulées

une tortue aquatique

un rat

une tortue terrestre

un insecte brindille

un chien et des chiots

La météo et les saisons

le soleil

le vent

une tornade

la brume

le brouillard

la neige

des glaçons

Où est le soleil?

la foudre

Trouve l'arc-en-ciel.

la pluie

une inondation

des nuages d'orage

un arc-en-ciel

Quand neige-t-il?

le printemps

l'été

l'automne

l'hiver